Juozas Polis

ATGIMSTANTI
LIETUVA

Juozas Polis

ATGIMSTANTI LIETUVA

Dailininkas Juozas Galkus

LIETUVOS KULTŪROS FONDAS
VILNIUS 1989

MBBK 32T

At-16

A $\dfrac{4911020000 - 1}{\text{LKF - 89}}$ Neskelbta - 89

Vartant knygą, iš pirmo žvilgsnio gali susidaryti tarsi pagražintos Lietuvos vaizdas. Čia nematysime nualintos gamtos, apleistų namų ir gatvių, nuskurdintos buities. Daugelis įspūdingų Tėviškės peizažų nufotografuota iš aukštos padangės, todėl aš knygos autoriui priminiau garsųjį anglų dramaturgą Bernardą Šo, kai jis, mūsų amžiaus pradžioje paskraidęs lėktuvu, bičiuliams pasakė: "Dabar aš suprantu, kodėl Viešpats Dievas taip mažai rūpinasi žemės reikalais. Iš viršaus žiūrint, viskas atrodo gražu".

- Kad nelabai... - atsakė Juozas Polis. - Lietuva atrodo ištuštėjusi, tarsi suvoluota, sulyginta. Nebėra vienkiemių, nebėra sodų, laukų margumo. Kai kurie miesteliai labai apsileidę, netvarkingos gamyklų teritorijos... Aš paveikslavau tą Lietuvą, kuri mums visiems be galo brangi ir graži.

Jaunystėje J.Polis buvo fotografas mėgėjas. Vėliau šis pomėgis virto jo profesija, ir kažin, ar šiuo metu Lietuvoje rastume labiau įgudusį spalvotosios fotografijos meistrą. Jo akys regėjo kur kas daugiau negu jo fotoobjektyvas... Kaip 1940-aisiais į Lietuvą atriaumojo Raudonosios armijos tankai, kaip vagonuose raudojo į Sibirą tremiamos moterys, vaikai, kaip buvo srogdinami paminklai, kaip taikioj artojų šalelėj įsigalėjo melas, prievarta, baimė. Tačiau mes turime ne tik prisiminti, ko netekom, bet ir pasidžiaugti tuo, ką dar pavyko išsaugoti.

J.Polis labiausiai mėgsta fotografuoti peizažą. Tačiau fotografas negalėjo likti abejingas toms istorinėms akimirkoms, kai žmonės, pagaliau įveikę baimę, išėjo į aikštes išreikšti savo laisvės troškimo, pasidžiaugti atkovota Trispalve, sugrąžinta Arkikatedra, atstatytais Trimis kryžiais...

Atgimstanti Lietuva... Skubam įteigti sau šituos žodžius kaip priesaiką, kaip veiklos programą: mes turim atgimti, turim prisikelti, turim atgauti savo laisvę.

Šis fotoalbumas - naujojo Lietuvos pavasario mozaika, su peržiemojusiais rūmais ir medžiais, sužaliavusiais laukais ir pirmaisiais atgimimo žiedais.

Kazys Saja

С первого взгляда может показаться, что в этой книге облик Литвы сильно приукрашен. Мы не увидим здесь истощенной природы, запущенных домов и улиц, оскудненного быта. Множество пейзажей снято с высоты поднебесья, и я не мог не напомнить автору этой книги, как известнный английский драматург Бернард Шоу после полета на аэроплане в начале нашего века сказал друзьям:

— Теперь я понимаю, почему Господь Бог так мало занимается земными делами. Сверху посмотреть - все выглядит красиво...

— Да не очень,- ответил Юозас Полис.- Литва выглядит опустошенной, словно по ней катком прошлись, расплющили. Не осталось хуторов, садов, пестроты полей. Некоторые местечки очень запущены, на заводских территориях беспорядок. Но я показал ту Литву, которая всем нам бесконечно дорога и мила.

В юности Ю.Полис был фотографом-любителем. Впоследствии это увлечение превратилось в профессию, и сегодня мы вряд ли найдем в Литве более опытного мастера цветной фотографии. Его глазам довелось видеть куда больше, чем видит его фотообъектив... Как в 1940-м в Литву пришли танки Красной Армии, как рыдали в теплушках высланные в Сибирь женщины, дети, как взрывали памятники, как в мирной стране землепашцев утвердились ложь, насилие и страх. Но мы должны не только вспоминать то, что утратили, надо радоваться тому, что сумели уберечь.

Ю.Полис особенно любит снимать пейзажи. Но все же он не мог остаться равнодушным к тем историческим мгновениям, когда люди наконец одолели страх, вышли на площади, заговорили о своем стремлении к свободе, возрадовались своим завоеваниям - трехцветному флагу, возвращенной Архикафедре, вновь отстроенным Трем Крестам...

Литва возрождается... Мы спешим сказать себе эти слова как заклинание, как программу действий: мы должны возродиться, должны подняться, должны вернуть себе свободу! Этот фотоальбом - мозаика новой весны в Литве, с пережившими зиму дворцами и деревьями, с зазеленевшими полями и с первыми цветами возрождения.

Казис Сая

While turning over the pages of the present publication, a picture of, as if, embellished Lithuania unfolds before your eyes. Here you won't see exhausted nature, neglected houses and streets, our impoverished life. As many impressive landscapes of our native country have been photographed from the air, I reminded the author the words of the famous playwright Bernard Shaw when he, having flown the plane at the beginning of the century, told his friends that he understood why Lord our God was so little concerned with mundane affairs. When looking from above everything looked nice.

"I would not say so..." replied Juozas Polis. "Lithuania looks deserted, rolled flat, levelled. There are no isolated farmsteads, no gardens, no diverse in colour fields. Some small towns are neglected, industrial areas untidy... But I took pictures of that Lithuania which is dear and beautiful to all of us."

In his youth J. Polis was an amateur in photoraphy, Where as today there is hardly a more experienced professional master of colour photography in Lithuania. But in the course of time, his eyes happened to see more than his camera... How the Red Army tanks rolled into Lithuania, how women and children cried awaiting deportation to Siberia in freight cars, how in a peaceful land of ploughers got rooted falsehood, violence, fear... However we must remember not only what we have lost, but also rejoice at what we have preserved. Though J. Polis' key subject is landscape, he could not be indifferent to recent historical events, when people, having subdued fear, went out into the streets to express their strife for freedom, to rejoice at the regained national flag, Cathedral, rebuilt Three Crosses...

The rebirth of Lithuania... We are ready to perceive these words as our oath, as further programme of activities: we must undergo rebirth ourselves, we must regain our freedom!

The present publication is a kind of a tecord of our rebirth, as if a mosaic of new spring of Lithuania, with green robe of nature and first blossoms of rebirth.

Kazys Saja

Vilniaus simbolis - Gedimino pilies bokštas XIV a.)

2.   Lietuvos istorijos ir etnografijos muziejus viename iš Žemutinės
     pilies pastatų

8.   Vilniaus Arkikatedra (architektas L.Stuoka-Gucevičius,
XVIII a.). Čia nuo amžių stovėjo lietuvių šventovė

4.   Šv. Mykolo, Šv. Onos ir Bernardinų bažnyčios (XVI-XVIII a.)

5. Senojo Vilniaus universiteto (įkurto 1579 m.) pastatų ansamblis

6, 7. Miestas nuo jį supančių kalvų

8. Vilnius nuo rytinių aukštumų

Atstatytųjų Trijų kryžių šventinimo vakarą

10. Misionierių bažnyčia (XVIII a.)

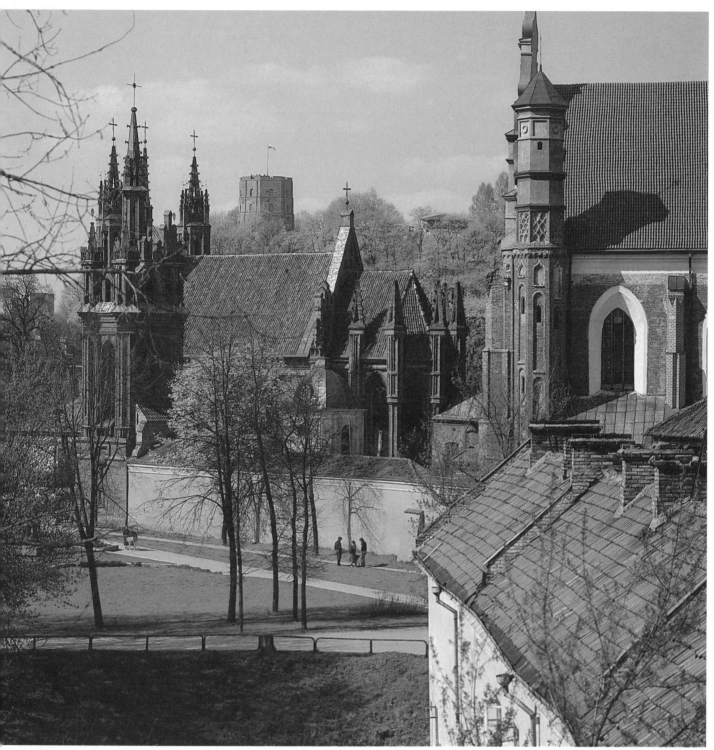

. Šv. Onos ir Bernardinų bažnyčių ansamblis - gotikos
architektūros paminklas (XVI a.)

12. Atšventintoje Arkikatedroje vėl vyksta pamaldos

3. Į Šv. Kazimiero koplyčią sugrąžintos Šv. Kazimiero relikvijos

14, 15. Pirmą kartą šventėme Gedulo ir Vilties dieną

16. Mūsų politinis mitingas 1988 m.vasarą

17. Išlikę miesto gynybinės sienos Medininkų (Aušros) vartai

19. Aušros vartai. Švč. Mergelės Marijos paveikslas (XVI a.)

19

0-23. Verbų sekmadienis senamiestyje

24. Stiklių gatvelė Vilniaus senamiestyje

5. Senamiestis nuo Maironio gatvės pusės

26, 27 Šv. Petro ir Povilo bažnyčia - Lietuvos baroko paminklas
  (XVII a.)

28. Gotikos reliktai Vilniaus senamiestyje

29. Rotušės aikštė šiandien

30. Taikomosios dailės muziejus atstatytame pilies arsenale

1. XIX a. ir XX a. statiniai dešiniojoje Neries krantinėje

32-35. Epochų atspindžiai senamiestyje

36. Šv. Kazimiero bažnyčia - ankstyvojo baroko architektūros
    paminklas (XVII a.)

37-39. Lietuvos Persitvarkymo Sąjūdžio steigiamasis suvažiavimas
  (1988 m. spalio 22-23 d.)

40. Lietuvos patriarchas architektas V.Landsbergis-Žemkalnis su žmona Sąjūdžio suvažiavime

1988 m. spalio 7 d. Gedimino pilies bokšte iškelta Trispalvė. Ji
vėl mūsų valstybinė vėliava

42, 43. Lietuvos liaudies deputatų palydos į TSRS deputatų
    suvažiavimą ir jų sutiktuvės

44-48. Pirmoji Lietuvoje tarptautinė oro balionų šventė 1989 m.
    vasarą

49, 50. Naujojo Vilniaus vaizdai

51. Lentvaris, XIX a. rūmai

2. Užtrakio parkas prie Galvės ežero

53-55. Trakų landšaftinis ir istorinis draustinis

55

6, 57. Trakų salos pilis XV a. buvo Lietuvos kunigaikščių
  rezidencija

57

8. Strėvos patvenktas klonis Trakų rajone

59, 60. Kernavė - pirmoji Lietuvos sostinė

61. Elektrėnų vaikų poilsio stovykla

Elektrėnai

63. Nemunas ties Druskininkais

4. Druskininkų balneofizioterapijos gydykla (architektai A. ir
   R. Šilinskai)

65, 66. Merkio kilpos ir Merkinės piliakalnis

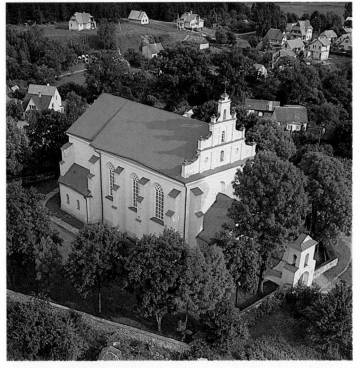

67, 68. Merkinė. Druskininkai
69, 70. Ignalinos krašte

. Neries vingis

72, 73. Birštonas prie Nemuno

74. Merkys

75-77. Rumšiškės - Lietuvos senojo sodžiaus muziejus

78, 79. Tarptautinis folkloro festivalis "Baltica" Rumšiškėse

80, 81. Piliakalniai, pilkapiai Lietuvos kraštovaizdyje

82. Kauno marių pakrantės

83. Pažaislio bažnyčia ir vienuolynas (XVII-XVIII a.) prie
    Kauno marių

84. Čia prasideda Kauno miesto istorija: pilies liekanos (XIII a.)

5. Kauno tarpdiecezinė kunigų seminarija

86-89. Kauno senamiestyje

Rotušė (XVI a.) Kauno senamiesčio centre

91. Kauno senamiestis Nemuno ir Neries tarpupyje

92. Lietuvos nacionalinių didvyrių S.Dariaus ir S.Girėno kapas
     (skulptorius V.Mačiuika)

Lietuvių literatūros klasiko Maironio paminklas (skulptorius
G.Jokūbonis)

94. Vasario 16-ąją vėl švenčiame Lietuvos nepriklausomybės dieną

Atstatytoji Laisvės statula (skulptorius J.Zikaras)

96, 97. Lietuvos krepšinio pasididžiavimas A.Sabonis ir
      Š.Marčiulionis

98, 99. Kauno IX forto memorialas (skulptorius A.Ambraziūnas,
        architektai G.Baravykas, V. Vielius)

100, 101. Panemunės archeologijos ir istorijos reliktai: Seredžiaus
    piliakalnis, Raudonės pilis (XVI a. pabaiga, XIX a.)

102, 103. Lietuvos pamario lygumos

104-107. Metų kaita

8. Dionizo Poškos baubliai - muziejus seno ąžuolo drevėje
   (XIX a. pradžia)

109. Žemaičių plentas

110. Liaudiškais pamario motyvais sukurtas Usėnų memorialinis
    ansamblis (Šilutės raj.)

1. Juknaičiai (Šilutės raj.)

112. Nemuno deltoje

13. Šilutė

114, 115. Kuršių nerijoje

15

116. Pamario gyvenvietė

17. Jūrų muziejus ir akvariumas Kopgalio tvirtovėje

118-122. Klaipėdos senamiestyje

22

123, 124. Lietuvos buriuotojai leidžiasi į tolimą kelią per Atlantą.
Sveiki, laimingai sugrįžę

125, 126. Gyvasis Baltijos kelias

127, 128. Palangos papludimyje

129. Palangos Vanagupės rajonas

130. Palangos "Lino" poilsio namai

131, 132. Vakarėjant

133-137. Lietuvos gigantiškos įmonės - grėsmė ekologijai

138-140. Aukštaitijos kalvotas ir ežeringas kraštovaizdis

39

1. Senkapis

142, 143. Kryžių kalnas netoli Šiaulių - vilčių ir nevilčių aukuras

144, 145. Šiaulių Šv. Petro ir Povilo bažnyčia (XVIII a.) - renesanso
   architektūros paminklas

146-148. Lietuvos Vidurio lygumos

148

49. Biržai

150, 151. Sartai - Dusetų landšaftinis draustinis

152, 153. Žiemgalos žemumos

154-158. Mūsų miestai ir miesteliai: Pabiržė, Kalnelis, Dabužiai,
Rokiškis, Pasvalys

159, 160. Aukštaitijos ežerai

160

161, 162. Anykščiai. Rašytojo J.Biliūno kapas (skulptorius
   B.Vyšniauskas, architektas V.Gabriūnas)

163, 164. Pašvenčių banguotas kraštovaizdis

165. Aukštaitija

166. Išlikę vienkiemiai

167. Žeimena

168. Palūšės bažnyčia Ignalinos nacionaliniame parke - XVIII a.
liaudies architektūros paminklas

169. Zarasai. Švč. Mergelės Marijos ėmimo į dangų bažnyčia

170, 171. Zarasų apylinkės

172. Dubingių landšaftinis draustinis

173. Ignalinos pietinio apymiesčio dalis

174-181. Metų nuotaikos Lietuvos gamtovaizdyje

175

178

179

Juozas Polis (g. 1920) - patyręs spalvotosios fotografijos meistras. Personalines parodas yra surengęs įvairiuose Respublikos ir Sąjungos miestuose. 1988 m. jo fotografijos paroda apkeliavo Badeno - Viurtembergo žemę (VFR). J.Polio nuotraukomis buvo apipavidalintos reprezentacinės Tarybų Sąjungos parodos Leipcigo mugėje, Japonijoje.

J.Polis yra kelių atvirukų komplektų autorius, albumų bendraautoris, taip pat dirba taikomosios fotografijos srityje.

1988 m. išėjo J.Polio albumas "Gimtoji žemė Lietuva".

Юозас Полис (рожд. 1920 г.) - опытный мастер цветной фотографии. Его персональные выставки проводились в разных городах Республики и страны. В 1988 г. передвижная выставка его фоторабот действовала в земле Баден-Вюртембург (ФРГ). Произведения Ю.Полиса были использованы для оформления представительной выставки Советского Союза, на Лейпцигской ярмарке, Японии.

Ю.Полис - автор нескольких комплектов открыток, соавтор альбомов. Работает также в области прикладной фотографии.

В 1988 г. вышел альбом Ю.Полиса "Гимтойи жяме Летува" ("Родная земля Литва").

Juozas Polis (b.1920) is an experienced master of colour photography. His photographs have been exhibited in numerous towns of our republic and of the USSR. In 1988 exhibition of his works was mounted in Baden Wurttemberg Land (FRG). His photographs have been used to decorate the representation exhibitions of the USSR at Leipzig Fair and in Japan.

J. Polis is the author of a number of post-card sets, coauthor of several books of photographs. He is also engaged in applied photography.

The Rebirth of Lithuania is his second book of photographs. The first one under the title My Native Land Lithuania came out of publication in 1988.

1. СИМВОЛ ВИЛЬНЮСА — БАШНЯ ЗАМКА ГЕДИМИНАСА (XIV В.)
2. ЛИТОВСКИЙ ИСТОРИКО-ЭТНОГРАФИЧЕСКИЙ МУЗЕЙ В ОДНОМ ИЗ СТРОЕНИЙ ЗАМКА
3. ВИЛЬНЮССКИЙ АРХИКАФЕДРАЛЬНЫЙ СОБОР (АРХИТЕКТОР Л.СТУОКА-ГУЦЯВИЧЮС. XVIII В.). С ДРЕВНИХ ВРЕМЕН НА ЭТОМ МЕСТЕ СТОЯЛ ЛИТОВСКИЙ ХРАМ
4. КОСТЕЛ СВ.МИХАИЛА, XVI - XVII ВВ.
5. АНСАМБЛЬ СТАРИННОГО ВИЛЬНЮССКОГО УНИВЕРСИТЕТА (ОСНОВАН В 1579 Г.)
6,7. ВИД НА ГОРОД С ОКРУЖАЮЩИХ ЕГО ХОЛМОВ
8. ВИД НА ВИЛЬНЮС С ВОСТОЧНОЙ СТОРОНЫ
9. ВЕЧЕР ОСВЯЩЕНИЯ ВОССТАНОВЛЕННЫХ ТРЕХ КРЕСТОВ
10. КОСТЕЛ МИССИОНЕРОВ, XVIII В.
11. КОСТЕЛЫ СВ. АННЫ И БЕРНАРДИНОВ (XVI В.) — ПАМЯТНИК ГОТИЧЕСКОЙ АРХИТЕКТУРЫ
12. ВО ВНОВЬ ОСВЯЩЕННОМ АРХИКАФЕДРАЛЬНОМ СОБОРЕ, КАК ВСТАРЬ, ИДУТ БОГОСЛУЖЕНИЯ
13. В ЧАСОВНЮ СВ. КАЗИМИРА ВОЗВРАЩЕНЫ ЕГО МОЩИ
14,15. ВПЕРВЫЕ МЫ ОТМЕЧАЛИ ДЕНЬ ТРАУРА И НАДЕЖДЫ
16. НАШ ПЕРВЫЙ ПОЛИТИЧЕСКИЙ МИТИНГ ЛЕТОМ 1988 Г.
17. СОХРАНИЛИСЬ ВОРОТА МЯДИНИНКУ (АУШРОС) В ГОРОДСКОЙ ОБОРОНИТЕЛЬНОЙ СТЕНЕ
18,19. ЧАСОВНЯ ПРЕСВ. ДЕВЫ МАРИИ В ВОРОТАХ АУШРОС. ИКОНА ПРЕСВ. ДЕВЫ МАРИИ (XVI В.) В ЧАСОВНЕ ВОРОТ АУШРОС
20-23. ВЕРБНОЕ ВОСКРЕСЕНЬЕ В ВИЛЬНЮСЕ
24. УЛОЧКА СТИКЛЮ В СТАРОМ ГОРОДЕ
25. СТАРЫЙ ГОРОД СО СТОРОНЫ УЛ. МАЙРОНЕ
26,27. КОСТЕЛ СВ.ПЕТРА И ПАВЛА (XVII В.) — ОБРАЗЕЦ ЛИТОВСКОГО БАРОККО
28. СЛЕДЫ ГОТИКИ В СТАРОМ ГОРОДЕ
29. ЛИТОВСКИЙ МУЗЕЙ ИЗОБРАЗИТЕЛЬНОГО ИСКУССТВА НА РАТУШНОЙ ПЛОЩАДИ
30. МУЗЕЙ ПРИКЛАДНОГО ИСКУССТВА В ВОССТАНОВЛЕННОМ ЗДАНИИ АРСЕНАЛА ЗАМКА
31. ДВОРЦЫ XIX И XX ВВ. НА ПРАВОЙ НАБЕРЕЖНОЙ РЕКИ НЕРИС
32-35. СОЗВУЧИЕ ЭПОХ В СТАРОМ ГОРОДЕ
36. КОСТЕЛ СВ.КАЗИМЕРАСА (XУП В.) — ПАМЯТНИК АРХИТЕКТУРЫ РАННЕГО БАРОККО
37-39. УЧРЕДИТЕЛЬНЫЙ СЪЕЗД ЛИТОВСКОГО ДВИЖЕНИЯ ЗА ПЕРЕСТРОЙКУ („САЮДИС"), 22-23 ОКТЯБРЯ 1988 Г.
40. ПАТРИАРХ ЛИТОВСКИХ АРХИТЕКТОРОВ В. ЛАНДСБЕРГИС-ЖЯМКАЛЬНИС НА СЪЕЗДЕ САЮДИСА
41. 7 ОКТЯБРЯ 1988 Г. НАД БАШНЕЙ ЗАМКА ГЕДИМИНАСА ВЗВИЛСЯ ТРЕХЦВЕТНЫЙ ФЛАГ. ЭТО ТЕПЕРЬ ВНОВЬ НАШ ГОСУДАРСТВЕННЫЙ ФЛАГ
42,43. ПРОВОДЫ НАРОДНЫХ ДЕПУТАТОВ ЛИТВЫ НА СЪЕЗД НАРОДНЫХ ДЕПУТАТОВ И ИХ ВСТРЕЧА
44-48. ПЕРВЫЙ В ЛИТВЕ МЕЖДУНАРОДНЫЙ ПРАЗДНИК ВОЗДУХОПЛАВАНИЯ ЛЕТО 1989 Г.
49,50. ВИДЫ НОВОГО ВИЛЬНЮСА
51. ЛЕНТВАРИС, ДВОРЕЦ X1X В.
52. ПАРК В УЖТРАКИСЕ, НА БЕРЕГУ ОЗЕРА ГАЛЬВЕ
53-55. ТРАКАЙСКИЙ ИСТОРИКО-ЛАНДШАФТНЫЙ ЗАКАЗНИК
56,57. ТРАКАЙСКИЙ ОСТРОВНОЙ ЗАМОК В ХУ В. БЫЛ РЕЗИДЕНЦИЕЙ ЛИТОВСКИХ КНЯЗЕЙ
58. СКЛОН СТРЕВЫ В ТРАКАЙСКОМ РАЙОНЕ
59.60. ОКРЕСТНОСТИ И ГОРОДИЩА КЕРНАВЕ, ПЕРВОЙ СТОЛИЦЫ ЛИТВЫ
61. ДЕТСКИЙ ЛАГЕРЬ ОТДЫХА В ЭЛЕКТРЕНАЙ
62. ЭЛЕКТРЕНАЙ
63. НЯМУНАС У ДРУСКИНИНКАЙ
64. ДРУСКИНИНКАЙ. БАЛЬНЕОФИЗИОТЕРАПЕВТИЧЕСКАЯ ЛЕЧЕБНИЦА (АРХИТЕКТОРЫ А. И Р. ШИЛИНСКАСЫ)
65,66. ИЗВИВЫ РЕКИ МЯРКИС. ГОРОДИЩЕ МЯРКИНЕ
67,68. МЯРКИНЕ. ДРУСКИНИНКАЙ
69,70. В ИГНАЛИНСКОМ КРАЕ
71. ИЗЛУЧИНА РЕКИ НЕРИС
72,73. БИРШТОНАС В ПЕТЛЕ НЯМУНАСА
74. МЯРКИС
75-77. РУМШИШКЕС. МУЗЕЙ СТАРОГО ЛИТОВСКОГО СЕЛА
78,79. МЕЖДУНАРОДНЫЙ ФОЛЬКЛОРНЫЙ ФЕСТИВАЛЬ „BALTICA" В РУМШИШКЕС
80,81. ГОРОДИЩА, КУРГАНЫ — НЕОТЪЕМЛЕМАЯ ЧАСТЬ ЛИТОВСКОГО ПЕЙЗАЖА

Captions to the Illustrations

1. The Gediminas Castle is the symbol of Vilnius
2. The Museum of History and Ethnography is housed in one of the buildings of the lower castle
3. The Cathedral of Vilnius (18th c., architect Laurynas Stuoka Gucevičius). Since of old here stood the temple of the Lithuanians
4. The Churches of St. Michael, St. Anne, and the Bernardines (16th-17th cc.)
5. A group of buildings of Vilnius University (founded in 1579)
6,7. A panoramic view of the town
8. Eastern view of the town
9. During the consecration ceremony of the recently rebuilt Three Crosses
10. The Church of Missionaries (18th c.)
11. The Churches of St. Anne and of the Bernardines are monuments of the Gothic architecture (16th c.)
12. Mass is held again at the reconsecrated Cathedral
13. The coffin of St. Casimir has been transferred to St. Casimir's Chapel
14,15. On June 14, we marked for the first time the day of mourning and hope
16. Our political rally of 1988
17. The Medininkai Gate in the defence wall of the town
18,19. The Aušra Gate. The picture of the Virgin Mary Mother of Mercy (16th c.)
20-23. Palm Sunday
24. Stiklių St. in the old section of the town
25. The Old Town when viewed from Maironis St.
26,27. The Church of SS.Peter and Paul, a monument of the Baroque architecture (18th c.)
28. The relics of the Gothic architecture in the Old Town
29. The Town Hall today
30. The Museum of Applied Art in the restored building of the Arsenal
31. The 19th-20th - century structures on the right bank of the Neris
32-35. Various epochs are reflected in the architecture of the Old Town

36. The Church of St. Casimir, a monument of early Baroque architecture (17th c.)
37-39. The Constituent Congress of the Lithuanian Reform Movement "Sajūdis" (October 22-23, 1988)
40. The patriarch of Lithuania, architect V. Landsbergis-Žemkalnis with his wife at the Costituent Congress of "Sajūdis"
41. On October 7, 1988 the former national flag was raised on the Tower of the Gediminas Castle. It is our official state flag again
42,43. Moments from our political rallies in the Cathedral Square
44-48. First international fest of air hotbaloons in Lithuania in the summer of 1988
49,50. New residential areas of Vilnius
51. The 19th- century mansion in Lentvaris
52. The park of Užtrakis on the shores of Lake Galvė
53-55. The historical and landscape preserve of Trakai
56,57. The Insular Castle of Trakai, a 15th - century residence of the Lithuanian Grand Dukes
58. The valley of the Strėva River in the Trakai region
59,60. Kernavė, the first capital of Lithuania
61. Children summer camp in Elektrėnai
62. Elektrėnai, the town of power engineering
63. The Nemunas by Druskininkai
64. The balneological-physiotherapeutic centre in Druskininkai (architects husband and wife Šilinskai)
65,66. Bends of the Merkys and the Merkinė hill-fort
67,68. Merkinė. Druskininkai
69,70. The Ignalina district
71. The curve of the Neris
72,73. Birštonas by the Nemunas
74. The Merkys
75-77. The open-air Country-life Museum in Rumšiškės
78,79. The International Folklore Festival "Baltica" in Rumšiškės
80,81. Hill-forts and barrows are unseparable part of Lithuanian landscape
82. The shores of the Kaunas Water Reservoir

Juozas Polis
ATGIMSTANTI LIETUVA
Dailininkas Juozas Galkus
Redaktorė Ona Deveikienė
Vertimo redaktorės Sofija Bystrickaja, Jūratė Drevinskienė
Techninė redaktorė Jūratė Jonytienė

Duota rinkti 1989.09.15. Pasirašyta spaudai 1989.09.18. LV 13230.
Formatas 60x90/8. Popierius kreidinis. 22,0 sąl.sp.l. 88,0 sąl.spalv. atsp.
24,45 apsk.leid.l.Tiražas 50 000 (21401-50000) egz. Užsąkymas Nr. 3885
Kaina 16,90 rb.
Lietuvos kultūros fondas (LKF), 232600 Vilnius, Vienuolio 5/32
Minsko spalvotos spaudos fabrikas, 220115 Minskas, Korženevskio 20.